그리고 지루한 주말

글 신시아 라일런트 | 그림 수시 스티븐슨

Contents

축축하고 짜증나는 날

헨리와 헨리의 큰 개 머지는

2월의 어느 토요일에 일어나서

밖을 보았다.

"윽." 헨리가 말했다.

밖은 흐렸다.

밖은 추웠다.

밖은 진흙투성이였고 축축했다.

“해가 나지 않았어.” 헨리가 말했다.

“눈도 없어.

그냥 짜증나는 것뿐이야. 축축하고 짜증나는 것 말이야.”

머지는 헨리에게 기대어 침을 흘렸다.

“우리는 주말 내내

뭘 해야 하지?” 헨리가 물었다.

머지가 더 많이 기대었다.

“어떻게 해야 우리가 재미있게 놀 수 있을까?”

헨리가 투덜거렸다.

머지는 계속 더 많이 기대었다.

“정말 지루한 주말이네.”

헨리가 으르렁거리듯 말했다.

머지는 축 늘어져 완전히 기대었다.

“우왓!” 헨리가 소리쳤다.

머지는 헨리를 팬케이크처럼 납작하게 눌렀다.

“우리는 어떻게 *일어나야 하지?*”

헨리가 궁금해했다.

지루해

헨리와 머지는 지루한 아침 식사를 했다.

그들은 지루한 만화 몇 편을 보았다.

그들은 헨리의 아빠가

지루한 농담 몇 마디를 하는 것을 들었다.

"맙소사, 이것은 정말 지루해." 헨리가 말했다.

"우리는 무엇을 *해야 할까?*" 그가 물었다.

머지는 무엇을 해야 할지 알았다.

머지는 먹을 만한 흥미로운 것이 없거나,

냄새 맡을 만한 흥미로운 것이 없거나,

그리고 씹을 만한 흥미로운 것이 없으면,

언제나 무엇을 해야 할지 알았다.

녀석은 잠들었다.

"안 돼, 머지." 헨리가 말하면서,

녀석을 밀었다.

"일어나."

머지가 일어나 앉았다.

녀석은 깨어 있고 싶었다.

녀석은 깨어 있으려고 노력했다.

하지만 모든 것이 너무 지루해서

녀석은 그럴 수 없었다.

녀석의 두 눈이 계속 감겼다.

녀석의 머리가 계속 끄덕거렸다.

녀석의 입은 계속 침을 흘렸다.

"활기찬 개로구나."

헨리의 아빠가 말했다.

"녀석이 지루해해요." 헨리가 말했다.

"머지가 지루해해요. 저도 지루하고요.

맙소사, 정말 지루해요."

헨리의 아빠가 얼굴을 찌푸렸다.

"2월에 생기는 짜증이니?" 아빠가 물었다.

헨리가 고개를 끄덕였다.

"겨울 심술이 난 거야?"

헨리가 다시 고개를 끄덕였다.

"봄이 되기 전이라 심통을 부리는 거니?"

"그래요, 아빠, 그렇다고요!" 헨리가 말했다.

"맙소사, 너 정말 지루해하는구나!" 헨리의 아빠가 말했다.

그들 셋은 앉았다.

그들의 눈이 계속 감겼고,

그들의 고개가 계속 끄덕거렸고,

그리고 그들의 입 가운데 하나는 계속 침을 흘렸다.

헨리의 엄마가 그들을 보았다.

"세상에." 엄마가 말했다.

"긴 주말이 되겠네."

그때 그녀는 좋은 생각을 하나 떠올렸다.

좋은 생각

"내게 좋은 생각이 있어요." 헨리의 엄마가 말했다.

헨리는 자신의 눈을 떴다.

헨리의 아빠는 일어나 앉았다.

하지만 머지는 계속해서 잤다.

녀석은 좋은 생각에는 그다지 관심이 없었다.

그 좋은 생각이 심상치 않은 냄새가 나지 않는 한 말이다.

"우리 성을 만들어요." 헨리의 엄마가 말했다.

"성?" 헨리와 헨리의 아빠가 말했다.

"우리는 새로운 냉장고가 들어 있던

박스를 아직 가지고 있어요,

그리고 새로운 가스레인지가 들어 있던 상자도요."

헨리는 그 생각에 대해 감을 잡았다.

"그리고 아서 삼촌이 저에게 준

그 물감 세트도 있어요." 헨리가 말했다.

“우리 그것을 해 봐요!”

그들은 지하실로 향했다.

머지는 여전히 자려고 하고 있었다.

하지만 머지가 지하실에서 나는 목소리를 들었을 때,

녀석은 재빠르게 일어났다.

머지는 지하실을 정말 좋아했다.

그곳에는 수많은 새로운 냄새가 있었다.

그곳에는 숨을 장소가 많이 있었다.

그리고 녀석의 오래된 개 장난감들 중 몇 개가 그 아래에 있었다.

"이리 와, 머지!" 헨리가 외쳤다.

하지만 머지는 이미 가고 있었다.

STO
REFRIGERATO

지하실에서

“성에는 작은 탑들이 있어야 해.” 헨리의 아빠가 말했다.

“들어 올리는 다리도. 지지대들도. 깃발들도 있어야지.”

“아빠.” 헨리가 말했다. “이건 그냥

냉장고 상자일 뿐이에요.”

“곧 아니게 될 거야.” 헨리의 아빠가 말했다.

헨리는 성에 대한 자신의 책을 찾아 위층으로 뛰어갔다.

헨리의 엄마는 연필들을 찾아 위층으로 뛰어갔다.

헨리의 아빠는 스테이플러를 찾아 위층으로 뛰어갔다.

그리고 머지는 간단한 간식을 찾아 위층으로 뛰어갔다.

그들은 모두 부엌에서 서로를 바라보았다.

“어떻게 우리가 모두 다시 여기에 올라오게 된 거지?”

헨리의 아빠가 물었다.

그들이 다시 지하실로 돌아갔을 때,

헨리는 성에 대한 자신의 책을 펼쳤다.

“우리 이것을 만들어요.” 그가 말했다.

헨리의 아빠가 살펴보았다.

헨리의 엄마가 살펴보았다.

“좋아.” 부모님이 말했다.

그들 가운데 한 사람은 그렸고,

그들 가운데 한 사람은 잘랐고,

그들 가운데 한 사람은 스테이플러로 고정했다.

그리고 그들 가운데 하나는 자신이 씹던

오래된 부츠 한 짝을 찾으러 다녔다.

그들은 모두 누군가가 말할 때까지

오랫동안 일했다.

"배고픈 사람 있어요?"

"피자를 주문하자." 헨리의 아빠가 말했다.

"우리는 지금 멈출 수 없어!"

그들은 피자가 올 때까지

조금 더 일했다.

그러고 나서 그들은 멈췄고 피자를 먹으면서

그들이 만들고 있는

성을 바라보았다.

그들은 각자 성이 완성되면

그것이 어떤 모습일지 상상했다.

A
B
C

남은 오후 동안

그들은 멋진 창문들과

멋진 문들을 잘라 냈다.

그들은 작은 탑들과 지지대들과

깃발들을 잘라 냈다.

머지는 정신없이 녀석의 오래된 부츠를 씹었다.

저녁이 되고 헨리가 마침내

침대로 기어 들어가야만 했을 때,

그는 성을 완성하는 것이 몹시 기다려졌다.

그는 남아 있는 긴 주말이

몹시 기다려졌다.

근사한 주말

헨리가 일어났다. 그는 밖을 내다보았다.

"축축하고 짜증 나." 그가 말했다.

하지만 그는 신경 쓰지 않았다.

"우리는 성을 마무리해야 해."

그가 머지에게 말했다.

헨리와 헨리의 아빠는 차가운 시리얼을

조금 먹고 지하실로 달려갔다.

헨리의 엄마는 부엌에 남아서

아침 신문을 읽었다.

엄마는 항상 좋은 생각을 마무리 짓는 일보다

그것을 생각해 내는 것을 더 잘했다.

“게다가.” 그녀가 말했다. “깜짝 놀라게 해 줄 사람이

있어야만 하잖아요.”

헨리와 헨리의 아빠는

아침 내내 성을 칠했다.

그들이 일하는 동안 머지는

스크루드라이버와 페인트 통들

그리고 더러운 헝겊들

그리고 비치 볼들

그리고 크리스마스 장식품들과

칠면조 인형의 냄새를 맡았다.

또한 녀석은 거미를 먹으려고 했지만

놓치고 말았다.

헨리와 헨리의 아빠는

매우 조용했다.

그들은 주의를 기울이고 싶었다.

그들은 잘 해내고 싶었다.

때때로 헨리의 엄마는

외치곤 했다.

“그 밑에 누가 있기는 한 거예요?”

마침내, 점심 때쯤,

헨리는 자신의 아빠를 보았다.

헨리의 아빠는 헨리를 보았다.

“우와.” 그들은 둘 다 말했다.

“와서 봐요! 와서 보라고요!”

그들은 계단 위를 향해 외쳤다.

헨리의 엄마가

계단 꼭대기로 갔다.

"아직 안 돼요! 아직 안 돼요!" 그들이 외쳤다.

그녀는 기다렸다.

“됐어요! 됐어요!” 그들이 외쳤다.

엄마는 계단 아래로 내려갔고

그곳에서 그녀는 여태까지 자신이 본 것 중에

가장 아름다운 성과

가장 멋진 기사들과

가장 멋진 왕을 보았다.

그들은 모두 성을 감상하며 오랜 시간을 보냈다.

그들은 차례차례 성 안에 앉아 보았다.

그들은 그것의 창문들에 머리를 집어 넣었다.

그들은 그것의 문들을 열고 닫았다.

그들은 그것의 들어 올리는 다리를 반복해서 내렸다.

헨리는 신이 났다.

그는 자신의 부모님을 꼭 껴안았다.

그는 머지를 꼭 껴안았다.

“정말 좋은 주말이야.” 헨리가 말했다.

왕이 헨리를 크게 핥았다.

“그리고 정말 좋은 왕이야!”

Activities

영어 원서를 총 여섯 개의 파트로 나누어,
각 파트별로 다양한 액티비티를 담았습니다.

각 파트의 영어 원서 페이지는 롱테일북스에서 출간된
'롱테일 에디션'을 기준으로 합니다!
수입 원서와는 페이지 구성에 차이가 있으니 참고하세요.

VOCABULARY

(잠에서) 깨다

wake up

회색의

gray

추운, 차가운; 감기

cold

탁한, 진흙투성이의

muddy

축축한, 젖은

wet

해, 태양

sun

눈

snow

기대다

lean

침을 흘리다

drool

주말

weekend

어떻게

how

재미; 재미있는

fun

투덜거리다

grumble

지루한

boring

으르렁거리다

growl

소리치다

yell

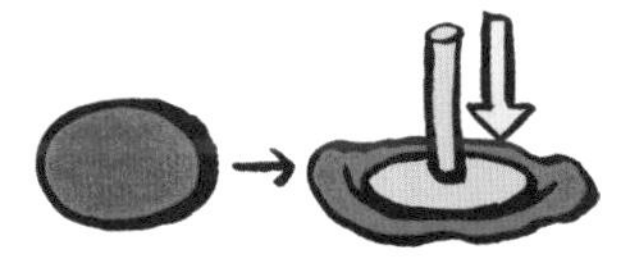

납작하게 하다

flatten

궁금해하다

wonder

VOCABULARY QUIZ

1 그림에 맞는 단어를 퍼즐에서 찾아 표시하고 단어를 써 보세요.

q	s	n	o	w	g	s	y	x	o	p
w	d	q	k	q	z	x	a	d	l	q
l	q	d	f	r	m	t	g	f	k	s
e	r	f	u	b	v	s	u	n	m	m
a	r	g	n	t	s	b	j	h	n	u
n	t	t	c	b	a	z	c	v	b	d
h	s	c	x	w	e	e	k	e	n	d
j	d	o	z	y	z	w	z	p	u	y
k	f	l	p	o	x	m	w	y	s	j
m	g	d	u	i	c	n	w	e	t	k
n	h	j	k	l	v	b	r	n	b	o

2 그림에 맞는 단어를 연결하고 빈칸에 알맞은 알파벳을 넣어 보세요.

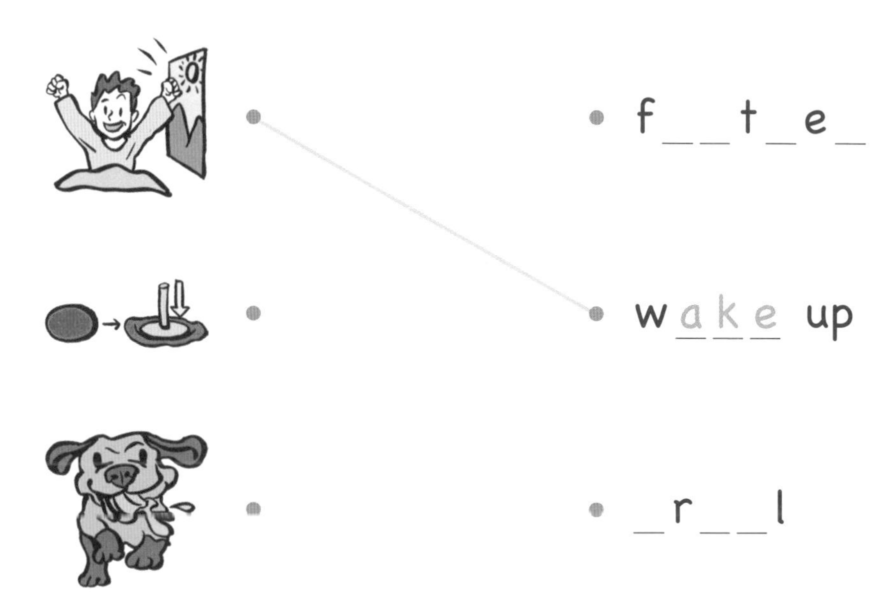

3 글자를 바르게 배열하여 단어를 완성해 보세요.

WRAP-UP QUIZ

1 이야기의 순서에 맞게 그림을 배열해 보세요.

Mudge managed to flatten Henry like a pancake.

Henry and Mudge looked out the window and saw it was all wet.

Mudge leaned against Henry harder and harder.

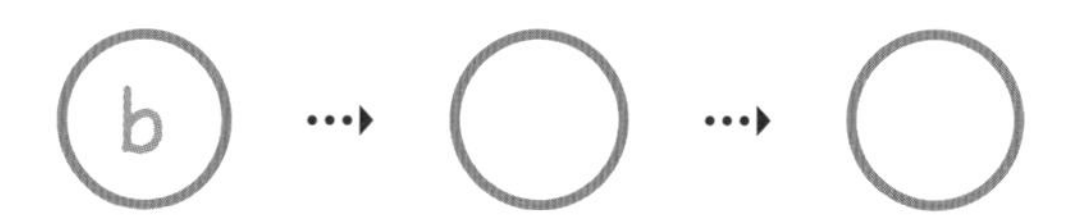

2 다음 질문에 알맞은 답을 선택해 보세요.

1) What was the weather like when Henry got up?

a. It was cold and gray.

b. It was snowy and windy.

c. It was warm and sunny.

2) What did Mudge do while Henry complained about the weather?

a. Mudge lay down on the floor.

b. Mudge walked out of the room.

c. Mudge leaned against Henry.

3) What happened when Mudge leaned all the way?

a. He sat on Henry.

b. He flattened Henry.

c. He slept on Henry.

3 책의 내용과 일치하면 T, 그렇지 않으면 F를 적어 보세요.

1) Henry and Mudge woke up and ran outside. ____

2) Henry thought it was going to be a boring weekend. ____

3) Mudge leaned against Henry harder and harder. ____

유용한 영어 표현

What a boring weekend!
정말 지루한 주말이네!

밖에 나가서 놀 수 없었던 헨리와 머지. 헨리는 정말 지루한 주말이라며 불평했지요. 이렇게 **"정말 ~한 –이다!"**라고 어떤 것에 대한 느낌을 강조해서 말하고 싶을 때는 what 다음에 a(n), 특징이나 상태를 나타내는 표현, 강조할 대상을 순서대로 써요. 대상이 여러 개라면 '하나의'라는 뜻의 a(n)은 쓰지 않아요.

what + a(n) + [특징/상태] + [대상]: 정말 ~한 –이다!

What a cute baby!
정말 귀여운 아기이다!

What an interesting movie!
정말 흥미로운 영화다!

What a nice car!
정말 멋진 자동차다!

What smart students!
정말 똑똑한 학생들이다!

우리말과 뜻이 통하도록 네모 안에 들어 있는 말을 바르게 배열해 보세요.

1. 정말 착한 남자아이다!

kind	a	what	boy
착한	(하나의)	정말 ~이다	남자아이

What a -- !

2. 정말 멋진 정원이다!

what	garden	nice	a
정말 ~이다	정원	멋진	(하나의)

-- !

3. 정말 신나는 날이다!

an	day	exciting	what
(하나의)	날	신나는	정말 ~이다

-- !

4. 정말 멋진 생각이다!

what	idea	wonderful	a
정말 ~이다	생각	멋진	(하나의)

-- !

5. 정말 아름다운 그림들이다!

paintings	what	beautiful
그림들	정말 ~이다	아름다운

-- !

VOCABULARY

지루한

boring

아침 식사

breakfast

보다

watch

만화

cartoon

듣다

listen

아버지

father

말하다

tell

농담

joke

아무것도 없다

nothing

흥미로운

interesting

먹다

eat

냄새 맡다, 냄새 나다; 냄새

smell

물어뜯다, 씹다

chew

밀기

push

모든 것

everything

끄덕이다

nod

재미있는, 신나는

exciting

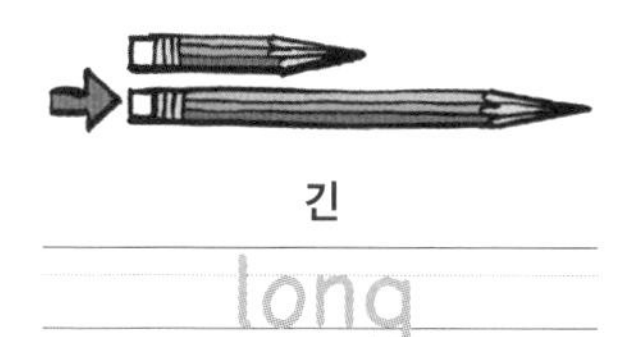

긴

long

VOCABULARY QUIZ

1 알파벳을 연결해서 단어를 만들고, 알맞은 그림과 연결해 보세요.

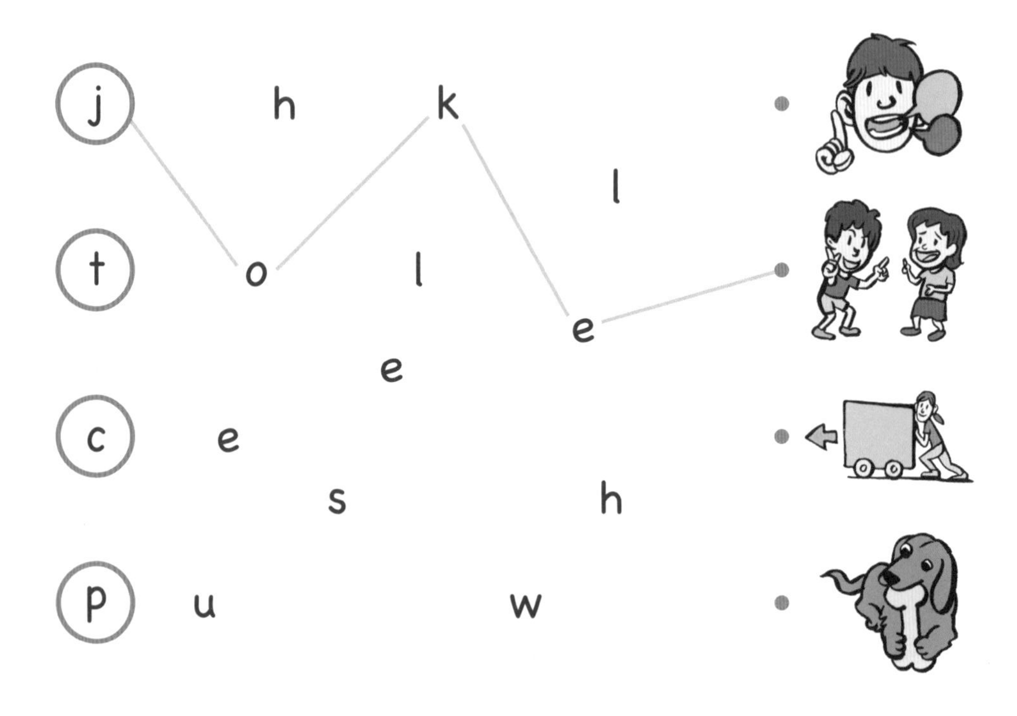

2 빈칸에 알맞은 알파벳을 넣어 단어를 완성해 보세요.

3 그림을 보고 알맞은 단어를 넣어 퍼즐을 완성해 보세요.

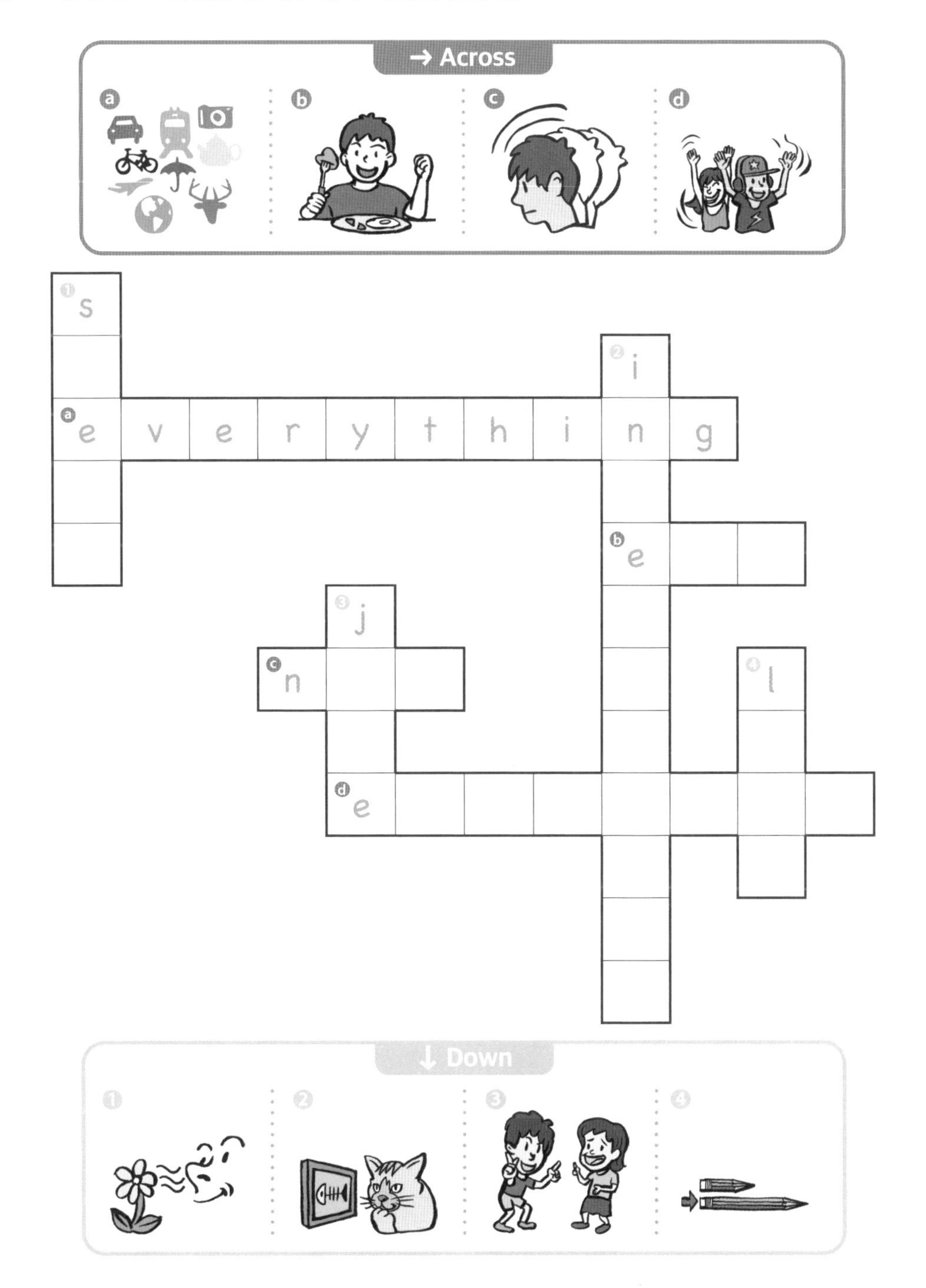

1 이야기의 순서에 맞게 그림을 배열해 보세요.

a

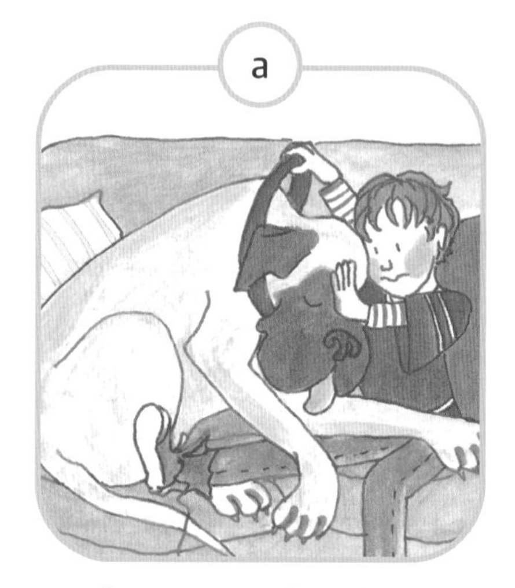

Mudge went to sleep because there was nothing interesting.

b

Henry's mother saw that Henry, his father, and Mudge were sleepy.

c

Mudge tried to stay awake but it was too hard for him.

d

Henry's father frowned when Henry said he was bored.

2 다음 질문에 알맞은 답을 선택해 보세요.

1) What did Henry's father do when Henry watched cartoons?

a. Henry's father told some boring jokes.

b. Henry's father asked Henry to try a different channel.

c. Henry's father taught Mudge a new trick.

2) What did Mudge do when there was nothing interesting to do?

a. Mudge lay down on both Henry and Henry's father.

b. Mudge played with his dog toys.

c. Mudge went to sleep.

3) Which of the following was NOT true about Mudge when Henry woke him up?

a. Mudge put his head on Henry.

b. Mudge opened his eyes big.

c. Mudge's mouth kept drooling.

3 책의 내용과 일치하면 T, 그렇지 않으면 F를 적어 보세요.

1) Henry and Mudge had an exciting breakfast. ____

2) Mudge usually fell asleep if there was nothing interesting. ____

3) Henry's father got bored as well. ____

PATTERN DRILL

유용한 영어 표현

Mudge's eyes kept closing.
머지의 두 눈이 계속 감겼다.

지루한 주말 오후. 심심했던 헨리는 머지를 깨우려고 했어요. 하지만 머지의 두 눈은 계속 감겼지요. 이렇게 **"계속 ~하다"**라고 말할 때는 **keep**을 먼저 쓰고, 동작을 나타내는 표현에 **ing**를 붙여서 함께 써요.

keep + [동작]ing: 계속 ~하다

They **keep** crying.
그들은 계속 운다.

We **keep** talking about the problem.
우리는 계속 그 문제에 대해 이야기한다.

The cat **kept** scratching the sofa.
고양이는 계속 소파를 긁었다.
* 지나간 일에 대해 말할 때 keep은 kept로 변해요.

He **kept** practicing his skills.
그는 계속 자신의 기술을 연습했다.

우리말과 뜻이 통하도록 네모 안에 들어 있는 말을 바르게 배열해 보세요.

1. 나는 계속 내 부모님에게 편지를 쓴다.

keep 계속하다	to my parents 내 부모님에게	writing 편지를 쓰는 것	I 나

I keep ______________________________.

2. 그 개들이 계속 나를 향해 짖는다.

keep 계속하다	the dogs 그 개들	barking 짖는 것	at me 나를 향해

______________________________.

3. 그는 계속 그의 숙제를 했다.

he 그	doing 하는 것	kept 계속했다	his homework 그의 숙제

______________________________.

4. 내 여동생은 계속 나를 귀찮게 했다.

my sister 내 여동생	me 나	bothering 귀찮게 하는 것	kept 계속했다

______________________________.

5. 그녀는 계속 시계를 쳐다봤다.

the clock 시계	looking at ~을 쳐다보는 것	kept 계속했다	she 그녀

______________________________.

VOCABULARY

생각, 계획

idea

어머니

mother

자다; 잠

sleep

관심을 가지다

care

냄새 나다, 냄새 맡다; 냄새

smell

만들다

make

성

castle

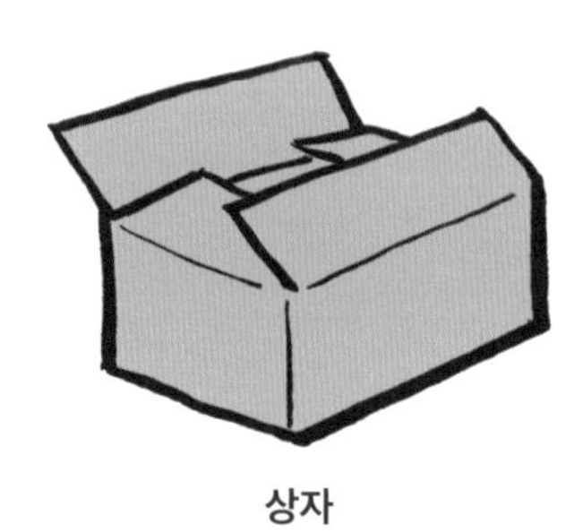

상자

box

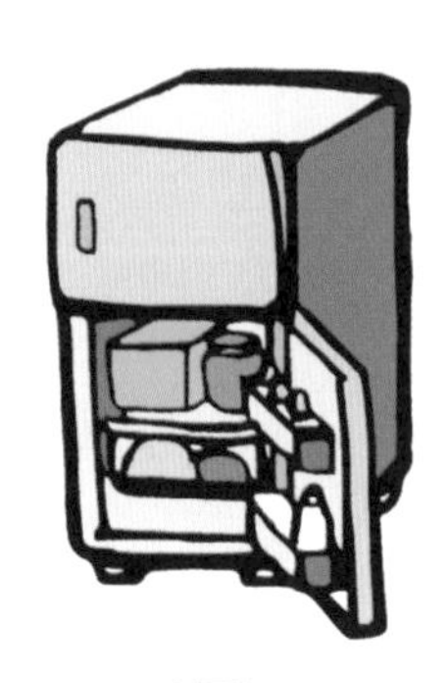

냉장고

refrigerator

가스레인지

stove

물감; (물감을) 칠하다

paint

주다 (과거형 gave)

give

지하실

basement

목소리

voice

(잠에서) 깨다

wake up

빠르게

fast

장소

place

숨다

hide

VOCABULARY QUIZ

1 그림에 맞는 단어를 퍼즐에서 찾아 표시하고 단어를 써 보세요.

q	c	a	r	e	y	u	i	g	p	q
c	d	z	q	c	z	t	w	i	r	b
a	f	c	d	f	w	s	r	v	t	a
s	g	v	g	f	g	l	i	e	y	s
t	h	f	r	z	b	e	v	b	d	e
l	j	m	o	t	h	e	r	a	s	m
e	k	j	h	d	f	p	z	z	h	e
c	l	i	j	s	q	w	r	i	q	n
x	n	p	k	t	j	g	f	d	s	t
z	b	s	m	e	l	l	o	e	f	g
a	v	z	x	x	c	v	b	a	e	h

2 그림에 맞는 단어를 연결하고 빈칸에 알맞은 알파벳을 넣어 보세요.

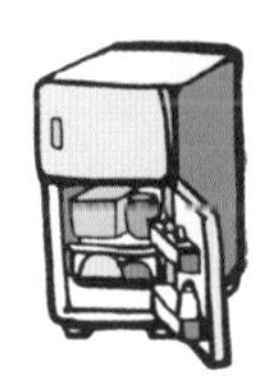

- r _ fri _ _ ra _ o _
- _ _ k _ up
- m _ k _

3 글자를 바르게 배열하여 단어를 완성해 보세요.

t m r o h e

____

o i v e c

____

a t p n i

____

s a f t

____

d h i e

____

x o b

____

o s t e v

____

p a e c l

____

1 이야기의 순서에 맞게 그림을 배열해 보세요.

a

Mudge woke up when he heard voices in the basement.

b

Henry's mother suggested making a castle out of some boxes.

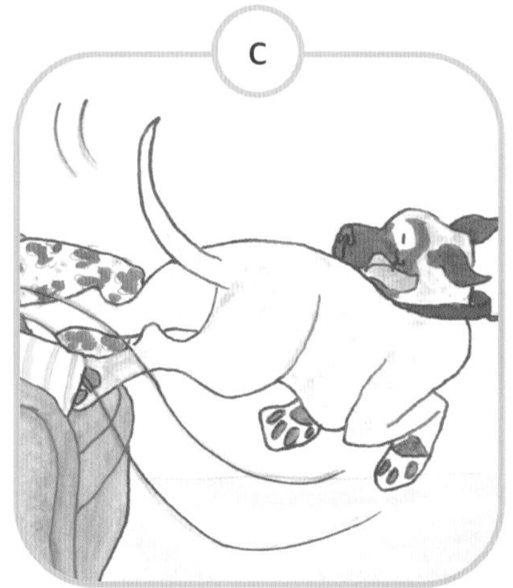

c

Mudge had run to the basement even before Henry called him.

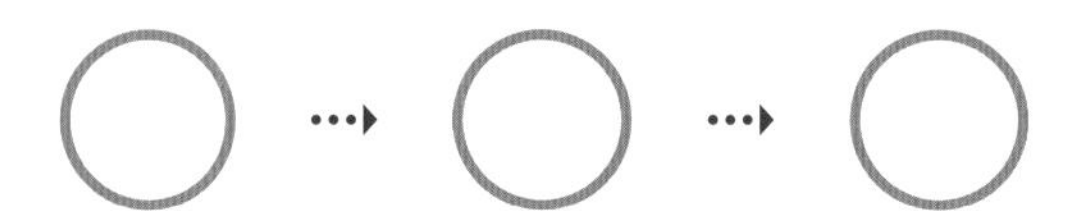

2 다음 질문에 알맞은 답을 선택해 보세요.

1) Who had a good idea about how to spend the weekend?

a. Henry's mother

b. Henry's father

c. Henry

2) What did Henry's family decide to make out of some boxes?

a. A house

b. A castle

c. A robot

3) Which of the following was NOT the reason why Mudge loved the basement?

a. It had some dog treats.

b. It had a lot of places to hide.

c. It had some of his old toys.

3 책의 내용과 일치하면 **T**, 그렇지 않으면 **F**를 적어 보세요.

1) No one was interested in Henry's mother's idea. ______

2) Henry's family had to buy some boxes to make a castle. ______

3) Mudge liked the basement. ______

유용한 영어 표현

Let's make a castle.

우리 성을 만들어요.

지루한 주말, 헨리의 엄마가 재미있는 생각을 해 냈어요. 바로 함께 박스로 성을 만들자는 것이었어요. 이렇게 같이 어떤 일을 하자고 제안할 때는 **Let's** 다음에 동작을 나타내는 표현을 써서 **"우리 ~하자"**라고 말해요. 이때 동작 표현은 항상 원래 모습으로 써야 해요.

Let's + [동작]: ~하자

Let's dance.
춤추자.

Let's play soccer.
축구하자.

Let's go shopping tomorrow.
내일 쇼핑하러 가자.

Let's have lunch in 30 minutes.
30분 후에 점심 식사를 하자.

우리말과 뜻이 통하도록 네모 안에 들어 있는 말을 바르게 배열해 보세요.

1. 쿠키를 굽자.

bake 굽다	let's ~하자	cookies 쿠키

Let's bake ______________________________ .

2. 그들을 점심 식사에 초대하자.

to lunch 점심 식사에	invite 초대하다	let's ~하자	them 그들

______________________________ .

3. 집으로 돌아가자.

home 집으로	go back 돌아가다	let's ~하자

______________________________ .

4. 그녀를 위한 파티를 열자.

let's ~하자	a party for her 그녀를 위한 파티	throw 열다

______________________________ .

5. 한 시간 후에 여기에서 만나자.

meet here 여기에서 만나다	an hour 한 시간	let's ~하자	in ~후에

______________________________ .

VOCABULARY

작은 탑

turret

아버지

father

들어 올리는 다리, 도개교

drawbridge

지지대

buttress

깃발

flag

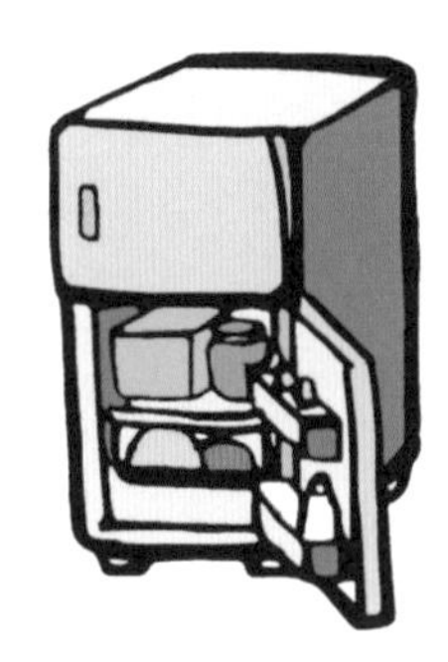

냉장고

refrigerator

위층으로

upstairs

연필

pencil

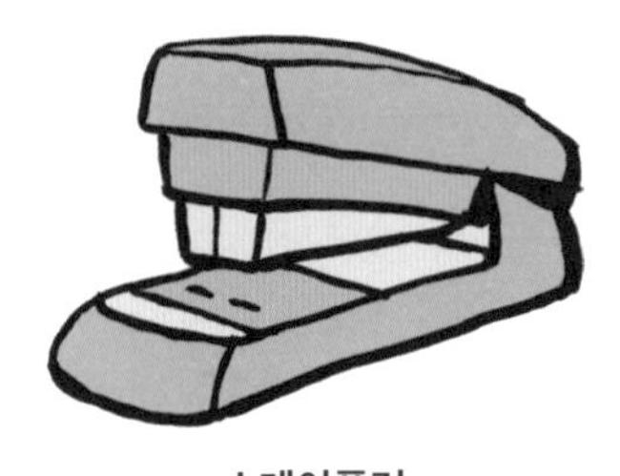

스테이플러

stapler

빠른

quick

간식

snack

서로

each other

부엌

kitchen

그리다 (과거형 drew)

draw

자르다 (과거형 cut)

cut

~을 찾다

look for

부츠

boot

배고픈

hungry

VOCABULARY QUIZ

1 알파벳을 연결해서 단어를 만들고, 알맞은 그림과 연결해 보세요.

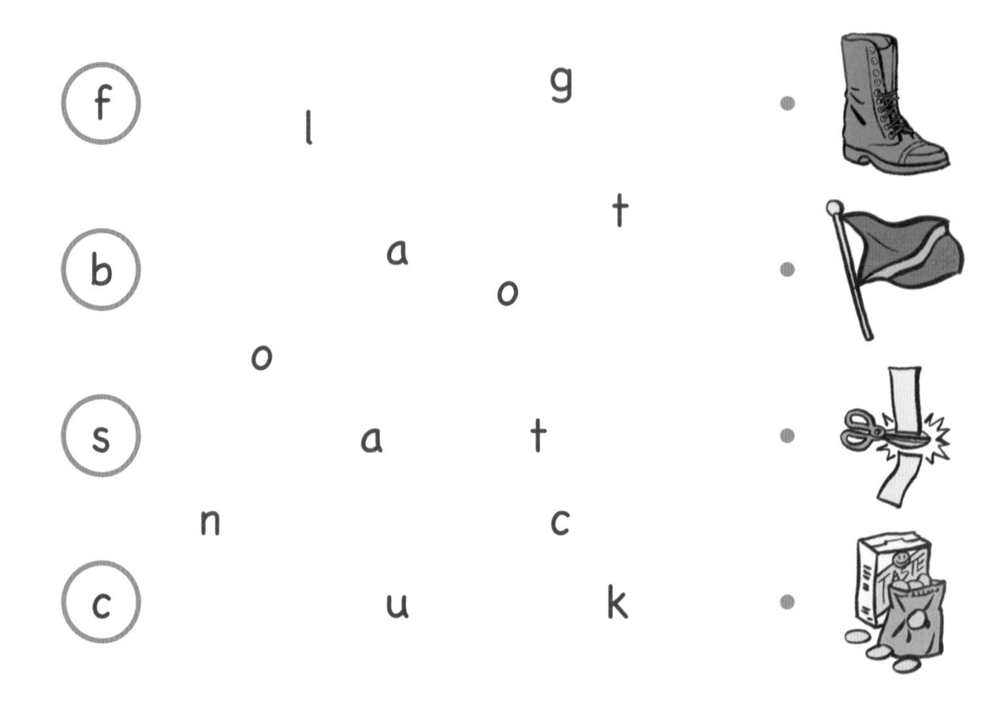

2 빈칸에 알맞은 알파벳을 넣어 단어를 완성해 보세요.

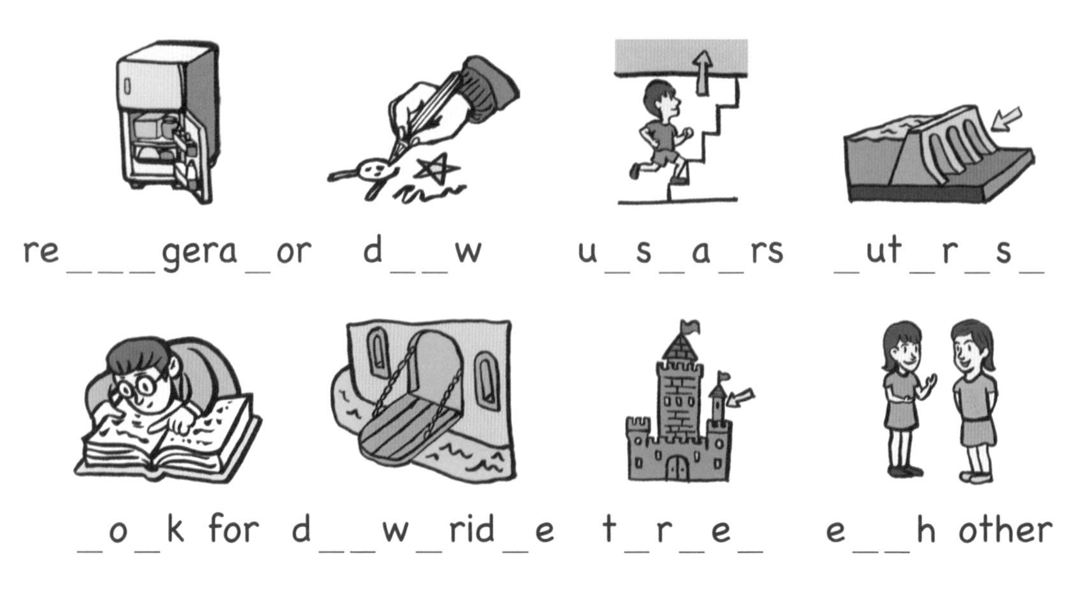

3 그림을 보고 알맞은 단어를 넣어 퍼즐을 완성해 보세요.

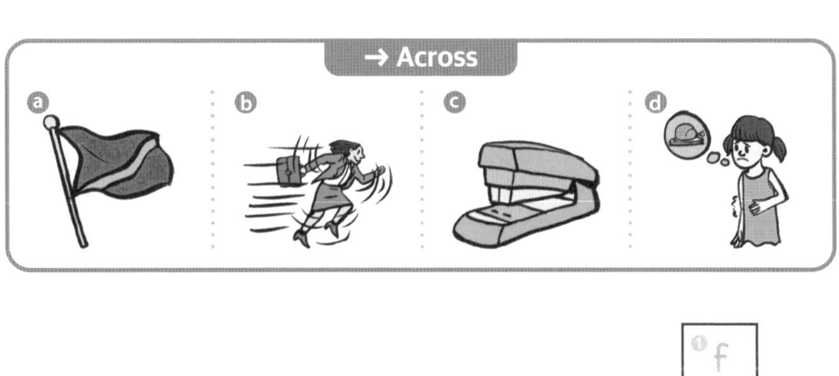

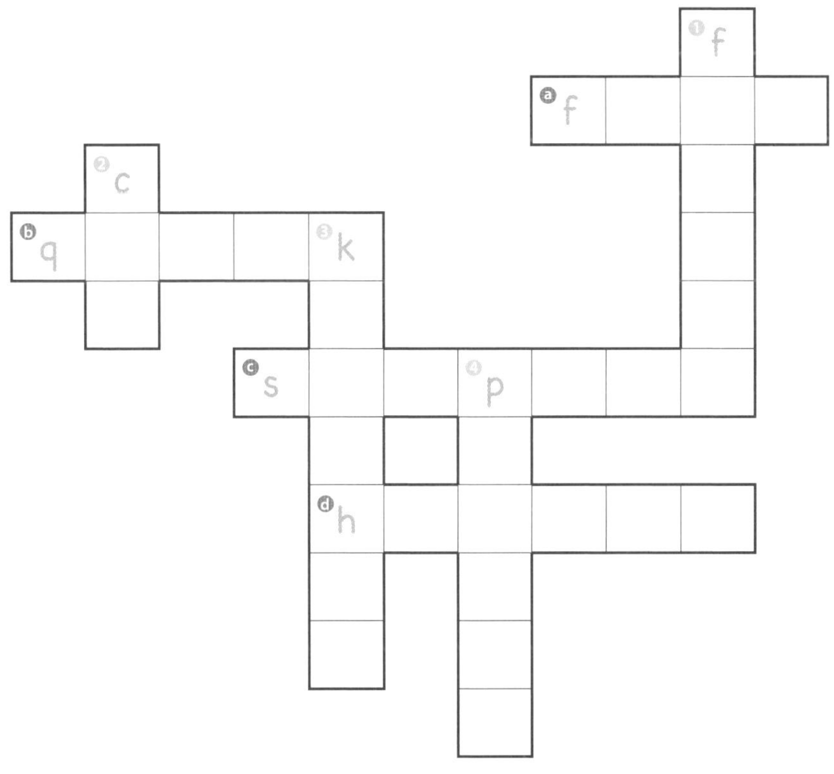

1 이야기의 순서에 맞게 그림을 배열해 보세요.

a

Mudge ran upstairs to have a snack.

b

Henry's family decided to make a castle out of old boxes.

c

Henry's family wondered how they were all upstairs, not down in the basement.

d

Henry's family worked hard on making the castle from Henry's book.

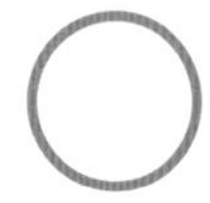 ··· ▸  ··· ▸  ··· ▸ 

2 다음 질문에 알맞은 답을 선택해 보세요.

1) Which of the following was NOT something Henry's father wanted to have for the castle?

a. Turrets

b. Fences

c. Buttresses

2) Why did Henry run upstairs?

a. To get his scissors

b. To get his castle book

c. To get some paper

3) What did Mudge do in the basement?

a. He just watched Henry's family.

b. He drooled on the floor.

c. He looked for an old boot.

3 책의 내용과 일치하면 T, 그렇지 않으면 F를 적어 보세요.

1) Henry's family began to make a castle from Henry's book. ____

2) Henry ran upstairs for pencils. ____

3) Mudge looked for an old boot he used to chew. ____

PATTERN DRILL

유용한 영어 표현

How did we get up here again?
어떻게 우리가 다시 여기로 올라오게 된 거지?

헨리의 가족은 신기하게도 모두 부엌에서 다시 만났어요. 그래서 다들 어떻게 부엌에 모이게 된 것인지 궁금해했지요. 이렇게 **"어떻게 −이 ~해요?"**라고 질문할 때는 how do 다음에 행동을 하는 사람이나 사물 등의 주체를 쓰고, 동작을 나타내는 표현을 이어서 써요. 지나간 일에 대해 말할 때는 do 대신에 did를 쓰면 돼요.

how do + [주체] + [동작]: 어떻게 −이 ~해요?

How do I open this door?
어떻게 내가 이 문을 열어요?

How do we eat this much food?
어떻게 우리가 이렇게 많은 음식을 먹나요?

How did you know that?
당신은 어떻게 그것을 알았어요?

How'd they climb up the tree?
어떻게 그들이 나무 위로 올라갔지?
* How did는 How'd로 줄여서 쓸 수 있어요.

우리말과 뜻이 통하도록 네모 안에 들어 있는 말을 바르게 배열해 보세요.

1. 당신은 어떻게 학교에 가나요?

how do	go	you	to school
어떻게 ~해요	가다	당신	학교에

How do ______________________________ ?

2. 당신은 어떻게 당신의 여가 시간을 보내요?

you	how do	your free time	spend
당신	어떻게 ~해요	당신의 여가 시간	보내다

______________________________ ?

3. 어떻게 그들이 그 소식에 반응했어요?

how did	respond	they	to the news
어떻게 ~했어요	반응하다	그들	그 소식에

______________________________ ?

4. 어떻게 그가 시험에 통과했어요?

pass	the test	he	how did
통과하다	시험	그	어떻게 ~했어요

______________________________ ?

5. 그녀가 어떻게 그것을 고쳤어요?

fix	she	how did	it
고치다	그녀	어떻게 ~했어요	그것

______________________________ ?

VOCABULARY

응시하다

stare

짓다

build

상상하다

imagine

오후

afternoon

화려한

fancy

저녁

evening

기어가다

crawl

끝내다

finish

차가운, 추운; 감기

cold

시리얼

cereal

머무르다, 가만히 있다

stay

읽다

read

놀라게 하다; 놀라운 일

surprise

(물감을) 칠하다; 물감

paint

작업하다

work

헝겊

rag

장식물

decoration

거미

spider

VOCABULARY QUIZ

1 그림에 맞는 단어를 퍼즐에서 찾아 표시하고 단어를 써 보세요.

q	w	r	t	y	c	e	r	e	a	l
b	u	i	l	d	d	t	r	q	m	n
g	s	d	f	e	f	y	e	w	b	c
s	h	f	c	c	j	u	b	h	c	r
u	q	a	b	o	h	i	e	g	v	a
r	z	n	v	r	j	k	q	t	x	w
p	n	c	o	a	g	n	d	u	z	l
r	m	y	h	t	a	d	g	h	j	k
i	d	f	g	i	g	h	w	o	r	k
s	p	i	m	o	t	r	v	n	h	j
e	y	u	i	n	z	c	o	l	d	m

2 그림에 맞는 단어를 연결하고 빈칸에 알맞은 알파벳을 넣어 보세요.

• • p _ _ n _

• • a _ t _ _ n _ o _

• • i _ a _ _ ne

3 글자를 바르게 배열하여 단어를 완성해 보세요.

a e t s r

____

c y f n a

____

t a y s

____

h f i i n s

____

e i e v n n g

____

d a e r

____

a r g

____

p s r e i d

____

1 이야기의 순서에 맞게 그림을 배열해 보세요.

a

Henry and Henry's father ate some cereal before running into the basement.

b

Henry's family spent the rest of the afternoon building the castle.

c

Henry and Henry's father painted the castle all morning.

d

Henry could not wait to finish the castle.

 ···▸  ···▸ 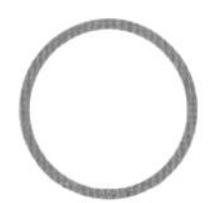 ···▸ 

2 다음 질문에 알맞은 답을 선택해 보세요.

1) What did Henry and Henry's father do before they ran to the basement?

a. They took Mudge for a walk.

b. They read the morning paper.

c. They ate cold cereal.

2) Why did Henry's mother NOT go back into the basement?

a. She was better at coming up with ideas than finishing them.

b. She was feeling sick that morning.

c. She had not woken up yet.

3) What did Mudge NOT do in the basement?

a. Mudge sniffed paint cans.

b. Mudge ate a spider.

c. Mudge sniffed a stuffed turkey.

3 책의 내용과 일치하면 **T**, 그렇지 않으면 **F**를 적어 보세요.

1) Henry did not care that the weather was not nice. ____

2) Henry and his father ate some pancakes in the morning. ____

3) Henry's mother did not go back to finish the castle. ____

유용한 영어 표현

Henry could **hardly** wait to finish the castle.
헨리는 성을 완성하는 것을 거의 기다릴 수가 없었다.
= 헨리는 성을 완성하는 것이 몹시 기다려졌다.

빨리 성을 다 만들고 싶었던 헨리는 자려고 누워서도 성을 완성하는 것을 기다릴 수 없었어요. 이렇게 **"거의 ~하지 않다"**라고 말하고 싶을 때는 hardly 다음에 동작을 나타내는 표현을 써요.

hardly + [동작]: 거의 ~ 않다

We **hardly** know each other.
우리는 서로를 거의 모른다.

He **hardly** took a break.
그는 거의 쉬지 않았다.

I can **hardly** open my eyes.
나는 거의 눈을 뜰 수 없다.

I could **hardly** study yesterday.
나는 어제 거의 공부할 수 없었다.

우리말과 뜻이 통하도록 네모 안에 들어 있는 말을 바르게 배열해 보세요.

1. 나는 그의 말을 거의 믿지 않는다.

hardly 거의 ~ 않다	his words 그의 말	I 나	believe 믿다

I hardly --.

2. 너는 수업에 거의 참여하지 않는다.

participate in ~에 참여하다	you 너	class 수업	hardly 거의 ~ 않다

--.

3. 그녀는 그녀의 일에 거의 집중할 수 없었다.

hardly 거의 ~ 않다	her work 그녀의 일	could ~할 수 있었다	she 그녀	concentrate on ~에 집중하다

--.

4. 그들은 거의 그 기계를 사용하지 않았다.

they 그들	used 사용했다	hardly 거의 ~ 않다	the machine 그 기계

--.

5. 나는 그를 거의 알아볼 수 없었다.

him 그	hardly 거의 ~ 않다	recognize 알아보다	I 나	could ~할 수 있었다

--.

VOCABULARY

조용한

quiet

주의를 기울이다

pay attention

외치다, 부르다

call

생명, 삶

life

점심시간

lunchtime

계단

stairs

꼭대기, 윗면

top

가장

most

아름다운

beautiful

기사

knight

왕

king

감탄하다

admire

차례; 돌다, 되다

turn

열다

open

내리다

lower

아주 신이 난

thrilled

포옹; 껴안다

hug

핥기; 핥다

lick

VOCABULARY QUIZ

1 알파벳을 연결해서 단어를 만들고, 알맞은 그림과 연결해 보세요.

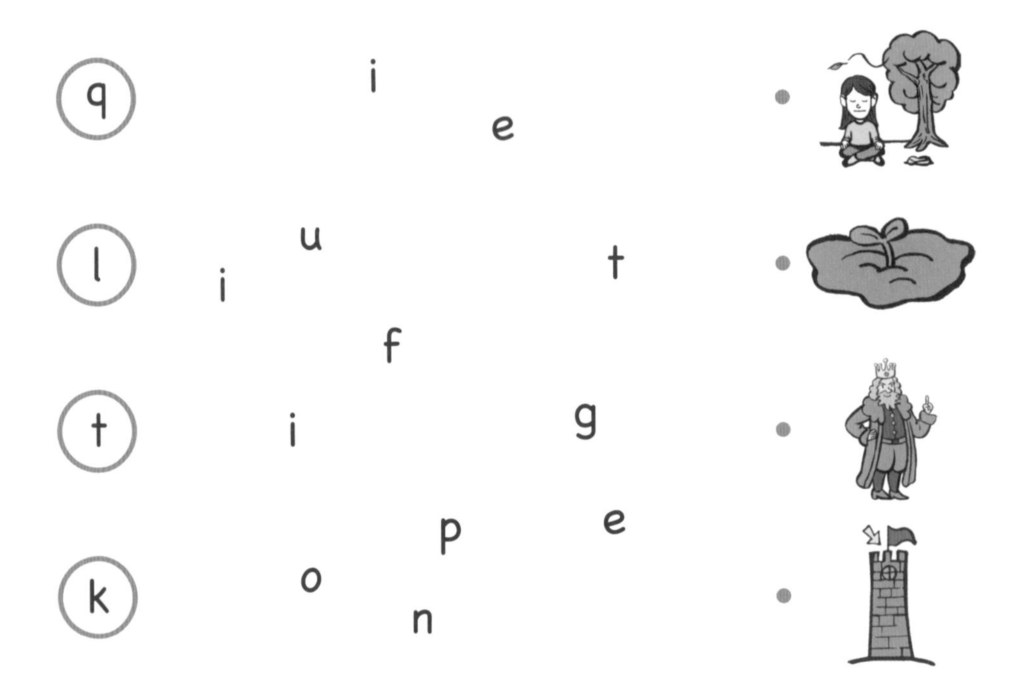

2 빈칸에 알맞은 알파벳을 넣어 단어를 완성해 보세요.

3 그림을 보고 알맞은 단어를 넣어 퍼즐을 완성해 보세요.

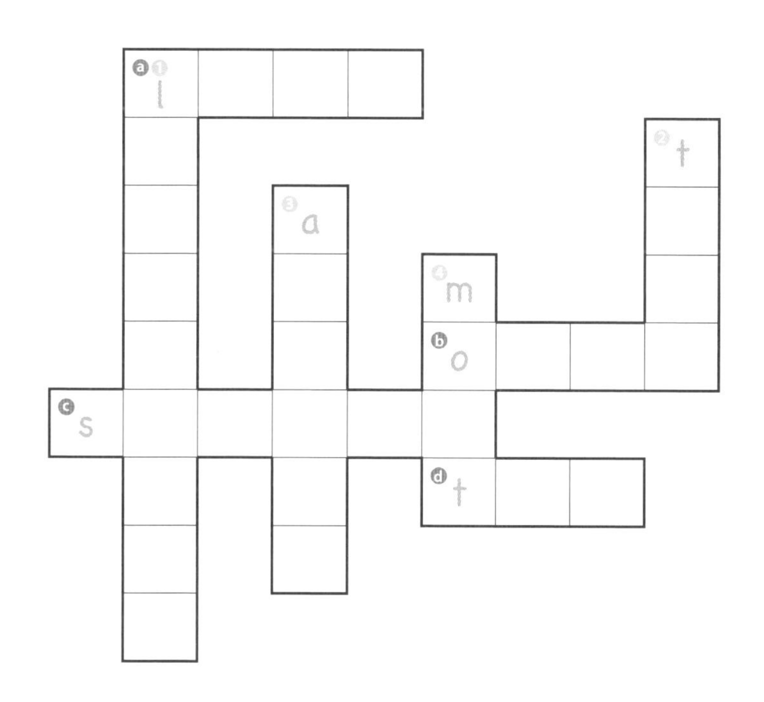

1 이야기의 순서에 맞게 그림을 배열해 보세요.

a

Henry gave a hug to Mudge who was dressed like a king.

b

Henry's mother saw the most beautiful castle she had ever seen.

c

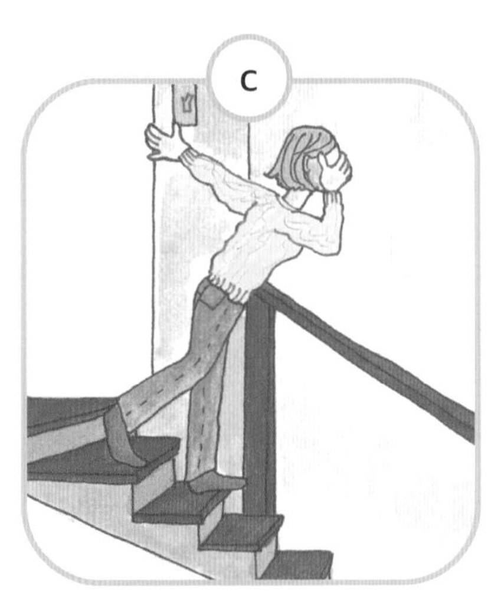

Henry's mother waited at the top of the stairs.

d

Henry's family had fun playing with the castle.

 ···›  ···›  ···› 

2 다음 질문에 알맞은 답을 선택해 보세요.

1) Why were Henry and his father very quiet?

a. They wanted to have a meal without Henry's mother.

b. They wanted to pay attention and do a good job.

c. They wanted to take a nap.

2) What did Henry's mother see in the basement?

a. The most beautiful castle, knights, and king

b. The most amazing palace, soldiers, and queen

c. The most stunning house, kids, and dog

3) What kind of weekend did Henry have in the end?

a. A great weekend

b. A boring weekend

c. A weird weekend

3 책의 내용과 일치하면 T, 그렇지 않으면 F를 적어 보세요.

1) Henry and his father made lots of noise in the basement. ____

2) Henry and his father could not finish the castle. ____

3) Henry's family all spent a long time admiring the castle. ____

PATTERN DRILL

유용한 영어 표현

They all **spent** a long time admir**ing** the castle.
그들은 모두 성을 감상하며 오랜 시간을 보냈다.

드디어 멋진 성이 완성됐어요! 헨리의 가족은 성을 가지고 놀면서 오랜 시간을 보냈지요. 이렇게 **"~하며 (시간)을 보내다"**, **"~하는 데 (시간)을 쓰다"**라고 말할 때는 spend 다음에 시간을 나타내는 표현을 먼저 쓰고, 동작을 나타내는 표현에 ing를 붙인 것을 이어서 쓰면 돼요.

spend + [시간] + [동작]ing : ~하며 (시간)을 보내다

I usually **spend** the weekend read**ing** books.
나는 보통 책을 읽으며 주말을 보낸다.

They **spend** the evening do**ing** homework.
그들은 숙제를 하며 저녁 시간을 보낸다.

We **spent** our time play**ing** games.
우리는 게임을 하며 우리의 시간을 보냈다.
*** 지나간 일에 대해 말할 때 spend는 spent로 변해요.**

She **spent** 6 hours watch**ing** movies.
그녀는 영화를 보며 여섯 시간을 보냈다.

우리말과 뜻이 통하도록 네모 안에 들어 있는 말을 바르게 배열해 보세요.

1. 나는 음악을 들으며 오전을 보낸다.

spend	music	I	listening to	the morning
(시간을) 보내다	음악	나	~을 듣는 것	오전

I spend ______________________________.

2. 우리는 쿠키를 굽는 데 2시간을 보냈다.

two hours	we	baking	cookies	spent
2시간	우리	굽는 것	쿠키	(시간을) 보냈다

______________________________.

3. 그들은 전화로 이야기하며 많은 시간을 보낸다.

spend	talking on the phone	they	a lot of time
(시간을) 보내다	전화로 이야기하는 것	그들	많은 시간

______________________________.

4. 그녀는 여행하며 3주를 보냈다.

she	three weeks	spent	traveling
그녀	3주	(시간을) 보냈다	여행하는 것

______________________________.

5. 그는 요리하며 하루를 다 보냈다.

spent	cooking	all day	he
(시간을) 보냈다	요리하는 것	하루 종일	그

______________________________.

ANSWERS

Part 1

Vocabulary Quiz

1.

2.

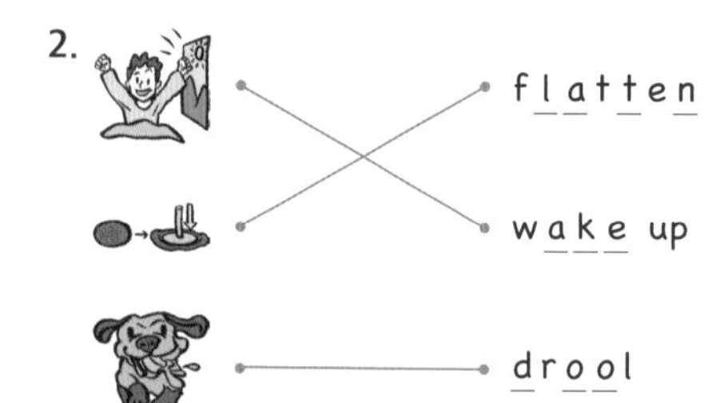

3. yell / how / grumble / growl
   wonder / gray / boring / snow

Wrap-up Quiz

1. b ··· c ··· a
2. 1) a 2) c 3) b
3. 1) F 2) T 3) T

Pattern Drill

1. What a kind boy!
2. What a nice garden!
3. What an exciting day!
4. What a wonderful idea!
5. What beautiful paintings!

Part 2

Vocabulary Quiz

1.

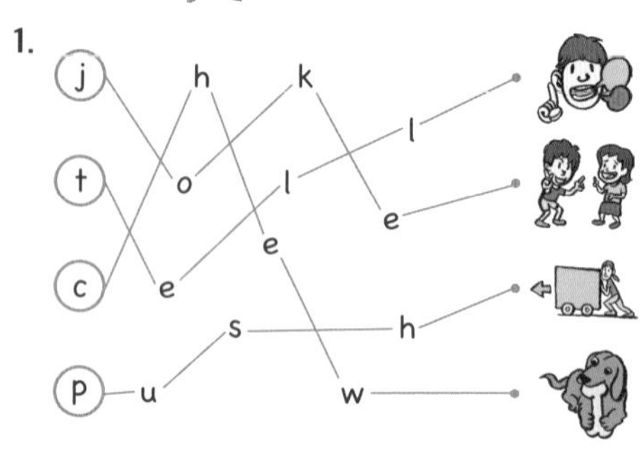

2. boring / nothing / listen / breakfast
   push / watch / father / cartoon

3.

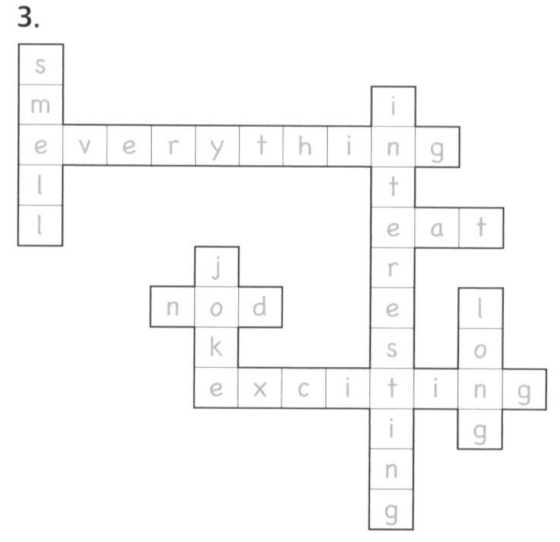

Wrap-up Quiz

1. a ··· c ··· d ··· b
2. 1) a 2) c 3) b
3. 1) F 2) T 3) T

Pattern Drill

1. I keep writing to my parents.
2. The dogs keep barking at me.
3. He kept doing his homework.
4. My sister kept bothering me.
5. She kept looking at the clock.

Part 3

Vocabulary Quiz

1.

2.

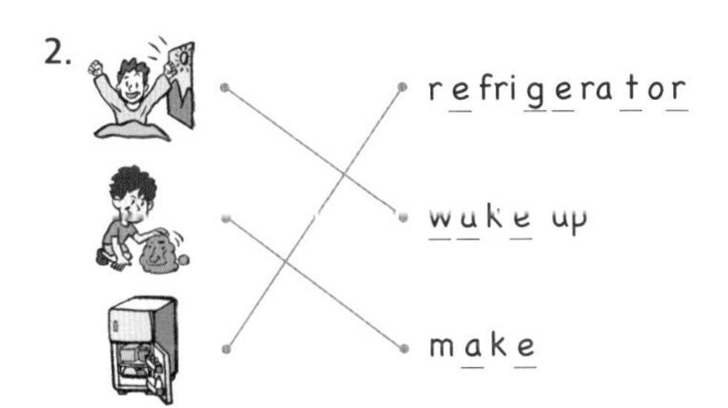

3. mother / voice / paint / fast
   hide / box / stove / place

Wrap-up Quiz

1. b ··· a ··· c
2. 1) a 2) b 3) a
3. 1) F 2) F 3) T

Pattern Drill

1. Let's bake cookies.
2. Let's invite them to lunch.
3. Let's go back home.
4. Let's throw a party for her.
5. Let's meet here in an hour.

Part 4

Vocabulary Quiz

1.

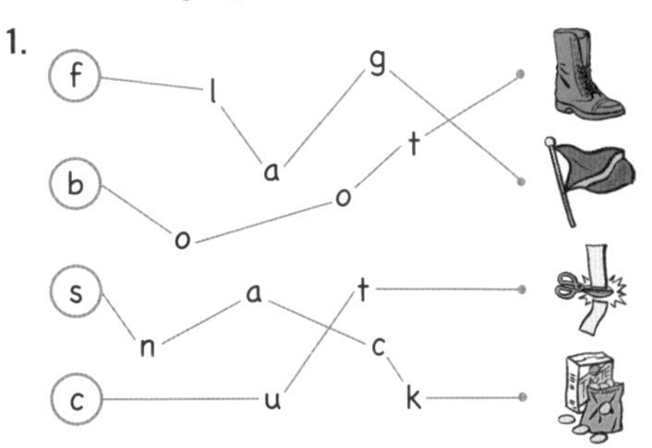

2. refrigerator / draw / upstairs / buttress
   look for / drawbridge / turret /
   each other

3.

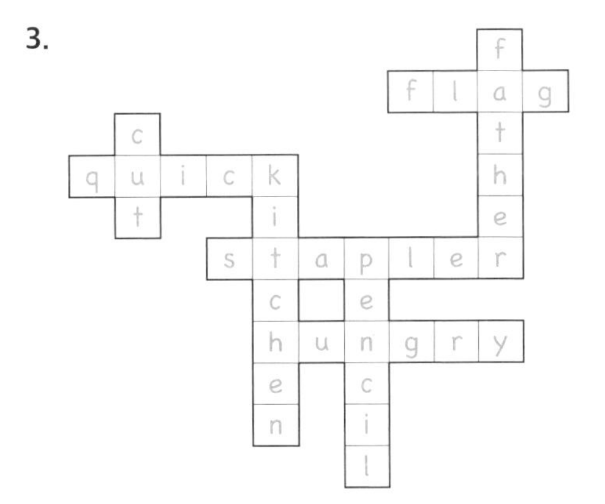

Wrap-up Quiz

1. b ··· a ··· c ··· d
2. 1) b 2) b 3) c
3. 1) T 2) F 3) T

Pattern Drill

1. How do you go to school?
2. How do you spend your free time?
3. How did they respond to the news?
4. How did he pass the test?
5. How did she fix it?

ANSWERS

Part 5

Vocabulary Quiz

1.

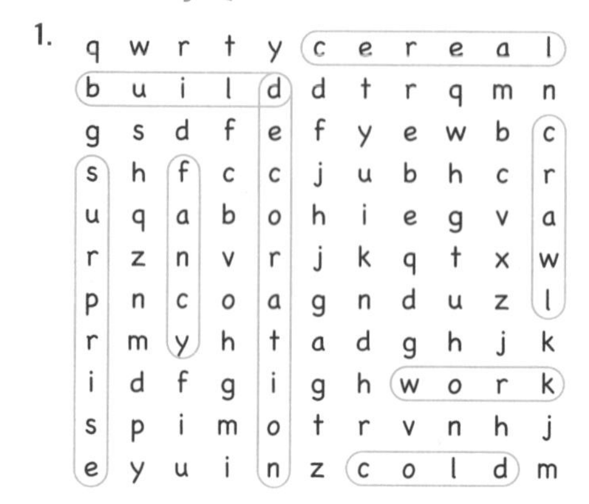

2.

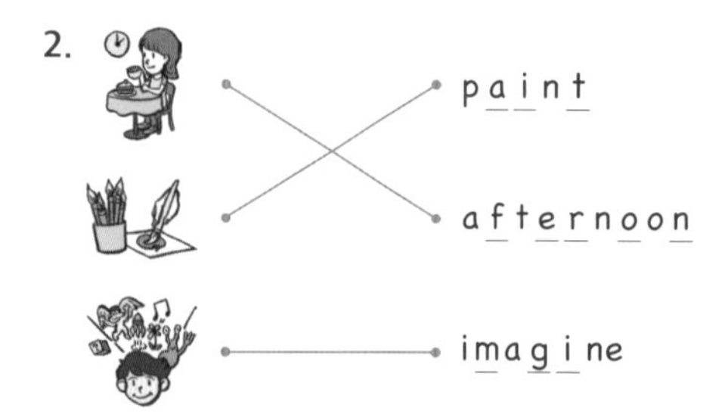

3. stare / fancy / stay / finish
   evening / read / rag / spider

Wrap-up Quiz

1. b ···› d ···› a ···› c
2. 1) c 2) a 3) b
3. 1) T 2) F 3) T

Pattern Drill

1. I hardly believe his words.
2. You hardly participate in class.
3. She could hardly concentrate on her work.
4. They hardly used the machine.
5. I could hardly recognize him.

Part 6

Vocabulary Quiz

1.

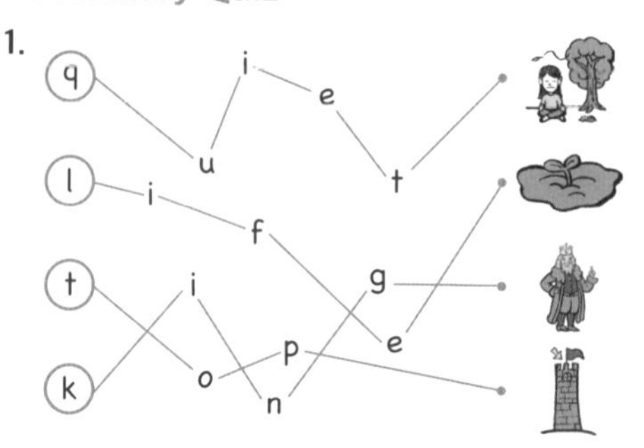

2. call / beautiful / hug / pay attention
   knight / turn / thrilled / lower

3.

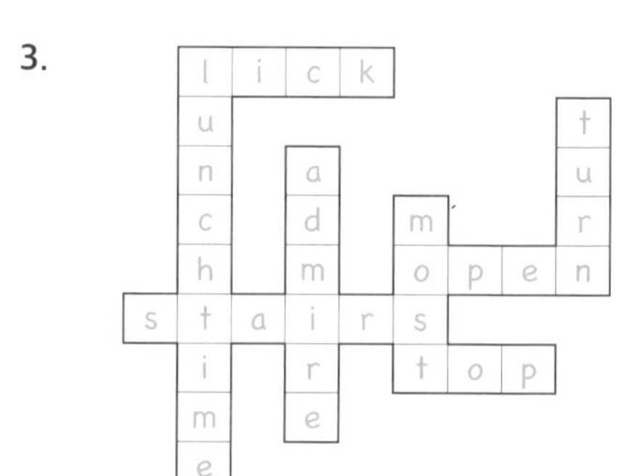

Wrap-up Quiz

1. c ···› b ···› d ···› a
2. 1) b 2) a 3) a
3. 1) F 2) F 3) T

Pattern Drill

1. I spend the morning listening to music.
2. We spent two hours baking cookies.
3. They spend a lot of time talking on the phone.
4. She spent three weeks traveling.
5. He spent all day cooking.

헨리와 머지

HENRY AND MUDGE

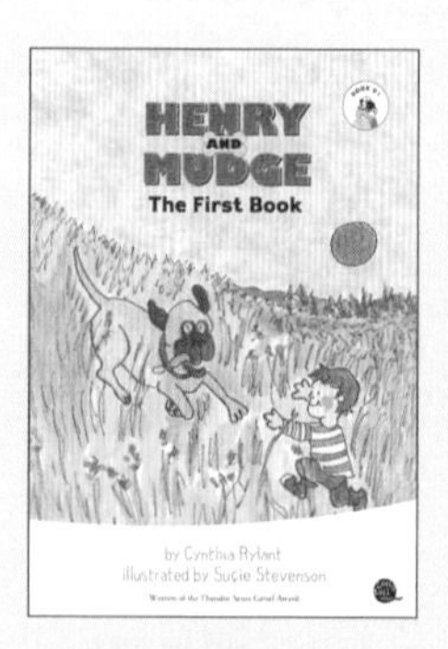

01 **HENRY AND MUDGE** The First Book

02 **HENRY AND MUDGE** in Puddle Trouble

03 **HENRY AND MUDGE** in the Green Time

04 **HENRY AND MUDGE** under the Yellow Moon

05 **HENRY AND MUDGE** in the Sparkle Days

06 **HENRY AND MUDGE** and the Forever Sea

07 **HENRY AND MUDGE** Get the Cold Shivers

08 **HENRY AND MUDGE** and the Happy Cat

09 **HENRY AND MUDGE** and the Bedtime Thumps

10 **HENRY AND MUDGE** Take the Big Test

11 **HENRY AND MUDGE** and the Long Weekend

12 **HENRY AND MUDGE** and the Wild Wind

학부모와 학습자들이 강력 추천하는 필독 원서,
『헨리와 머지 (Henry and Mudge)』 시리즈!

훨씬 더 넓어진 판형과 가독성을 극대화한 영문 서체로 새롭게 출간되었습니다

『헨리와 머지 (Henry and Mudge)』 시리즈는 소년 헨리와 커다란 개 머지가
소소한 일상 속에서 우정을 쌓아 가는 모습을 따뜻한 시선으로 그려낸 책입니다.
48페이지 이하의 부담 없는 분량에 귀엽고 포근한 느낌의 그림이 더해졌고,
짧고 반복되는 문장으로 이루어져 완독 경험이 없는 초급 영어 학습자도 즐겁게 읽을 수 있습니다.
롱테일북스의 『헨리와 머지 (Henry and Mudge)』 시리즈로 원서 읽는 습관을 시작해 보세요!

HENRY AND MUDGE AND THE LONG WEEKEND

헨리와 머지
그리고 지루한 주말

초판 발행 2021년 1월 15일

글 신시아 라일런트
그림 수시 스티븐슨
번역및콘텐츠감수 정소이 박새미 유아름
콘텐츠제작참여 최선민 선생님(충남 보령 성주초) 김수정 선생님(경기 부천 부인초)
권재범 선생님(충남 계룡 금암초) 박은정 선생님
책임편집 정소이 박새미 김보경
디자인 모희정 김진영
저작권 김보경
마케팅 김보미 정경훈
펴낸이 이수영

펴낸곳 (주)롱테일북스
출판등록 제2015-000191호
주소 04043 서울특별시 마포구 양화로 12길 16-9(서교동) 북앤빌딩 3층
전자메일 helper@longtailbooks.co.kr

ISBN 979-11-86701-78-2 14740

롱테일북스는 (주)북하우스 퍼블리셔스의 계열사입니다.

이 도서의 국립중앙도서관 출판예정도서목록(CIP)은 서지정보유통지원시스템 홈페이지(http://seoji.nl.go.kr)와
국가자료종합목록 구축시스템(http://kolis-net.nl.go.kr)에서 이용하실 수 있습니다. (CIP 제어번호 : CIP2020053069)